Ernst Brandl

DAS ANDERE UFER

Frau

Ursula Strohal

in dankbarer Verbundenheit

gewidmet.

Mit den besten Grüßen

und Wünschen

Ernst Brandl

Innsbruck, Oktober 1993

Ernst Brandl

DAS ANDERE UFER

Gedanken zur Innenwelt

Gedichte und Kurzprosa

Illustrationen von
Martin Schwarz

Tyrolia-Verlag · Innsbruck-Wien

Gedruckt auf chlorfrei gebleichtem Papier
Umschlag: Recyclingpapier

Mitglied der Verlagsgruppe „engagement“

Die Deutsche Bibliothek – CIP-Einheitsaufnahme

Brandl, Ernst:
Das andere Ufer : Gedanken zur Innenwelt ; Gedichte und Kurzprosa / Ernst Brandl. Ill. von Martin Schwarz.
– Innsbruck ; Wien : Tyrolia-Verl., 1993
ISBN 3-7022-1914-5

1993

Umschlaggestaltung: Mag. Elke Staller
Umschlagbild: Martin Schwarz
Satz, Druck und Bindung: Athesia-Tyrolia Druck, Innsbruck

Inhaltsverzeichnis

ANKUNFT – ABSCHIED

DAS ANDERE UFER

KLOTHOS FADEN

BLINDHEIT

Vorwort

In den 1992 veröffentlichten „VISIONEN" wurde auf die im wesentlichen durch die Menschen verursachten Probleme unserer Zeit eingegangen und ihre Ursachen und Zusammenhänge aufgezeigt.
Der vorliegende Band „DAS ANDERE UFER" beschäftigt sich mit den seelischen Auswirkungen und Schwierigkeiten, die oft eine bedrückende Folge unserer Daseinszwänge sind – ein Schritt also von der Umwelt zur Innenwelt, wie schon aus den Untertiteln („Gedanken zur Umwelt" bzw. „Gedanken zur Innenwelt") hervorgeht.
Es werden Fragen und Sorgen offengelegt, die tief im Inneren sitzen, die wir aber aus Mangel an Zeit unterdrücken oder einfach nicht wahrhaben wollen.
Gerne entziehen wir uns ihrer Bewältigung auch durch die Flucht in Traumwelten.
In selbstkritischer, realistischer und ironischer Weise werden verdrängte innere Probleme angesprochen. Das Ziel des Autors ist es, Antworten zu geben und – ebenso wie mit den „Visionen" – zu konstruktivem Denken und Handeln anzuregen.
Dieser Optimismus gründet in der alles bewegenden Kraft von Toleranz, Liebe und Gottverbundenheit.

Ernst Brandl

ANKUNFT – ABSCHIED

Zweifel

Fragen
irren
durchs Gewirr
des Zweifels.

Antwort
hüllt
ihr Antlitz
in den Schleier
der Gedanken.

Weshalb

Weshalb werden wir geboren –
um zu kämpfen und zu fallen?
Warum scheint die Erde uns verloren?
Droht bald das Nichts uns allen?

Was steht am Anfang unseres Lebens,
was ist am Ende, was das Ziel,
weshalb ist das Hoffen oft vergebens,
gibt das Dasein uns nicht viel?

Frage

Herr, wenn Du die Liebe bist,
wie kam der Neid in diese Welt,
hat sich der Haß dazugesellt?
Warum sind wir von Leid erfüllt,
hat das Mitleid sein Gesicht verhüllt?
Warum ergreift die Ichsucht unser Streben,
hat die Rachsucht so erfaßt das Leben?
Warum erwächst im Herzen die Gewalt,
hat Mordlust ihre Faust geballt,
Herr, wenn Du die Liebe bist?

Kinderaugen

Kinderaugen,
werden sie einst feucht sein
von Leides oder Glückes Tränen?

Kindermund,
wird er einst fluchen
oder beten?

Kinderhände,
werden sie einst töten
oder segnen?

Fragen Zukünftiger

Veilchen,
Treueschwursymbol
der Jungverliebten,
hast du in Julias Haar
mit deinem zarten Blau
und deinem süßen Duft
einst Romeos Herz betört?

Hast du mit deinem Sterben
auch die Treue
mit ins Grab genommen?

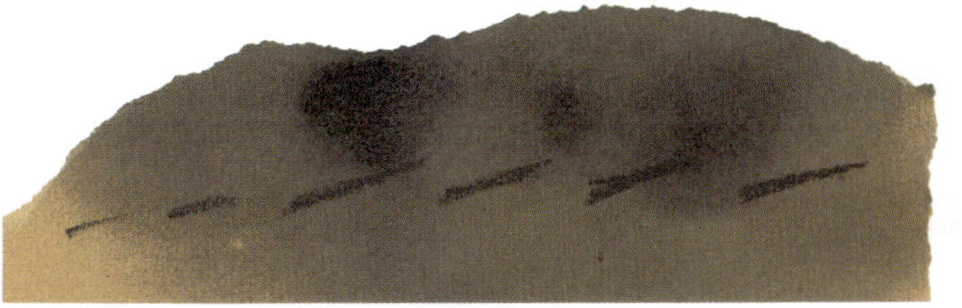

Haar - Blau - Duft

Schicksal

Unweit von dem stolzen Luxusliner
harrt am Stein der kranke alte Mann;
von den Touristen sieht ihn keiner,
alle schlägt die Insel voll in Bann.

Doch – einer hält den raschen Schritt,
er scheint zu zögern und zu schwanken,
mit den andern geht er nicht mehr mit;
es laufen nur noch die Gedanken:

Warum sitze ich nicht auf der Erde,
bin ganz allein und bettelarm,
warum folge ich nur dieser Herde,
bin gesund, hab's ringsum warm?

Ist dieser Mensch nicht Gottes Kind,
sollt' ich nicht die Hand ihm geben,
als wär's mein Bruder, den ich find',
dem ich Hilfe biete für sein Leben?

Womit hab' ich es mir verdient,
daß ich lesen kann und schreiben,
daß mich ein chef du rang bedient,
nicht muß im Dunkel bleiben?

Warum wurde ich erkoren,
daß ich nicht leb' in Nöten,
daß ich nicht im Tschad geboren,
nicht gezwungen bin zu töten?

Ist diese Kreuzfahrt etwa Diebstahl
an allen jenen, die in Armut leben,
an jedem Menschen, dem das Schicksal
kaum das trockene Brot gegeben?

Oder ist der alte Kranke schon
viel reicher, als ich meine,
ist Gottes und des Himmels Sohn,
da er so ruhet auf dem Steine?

Ist nicht für ihn das Wort gedacht,
dem wir verschließen das Gehör,
das ihn jedoch einst selig macht:
Eher gehet ein Kamel durchs Nadelöhr –!

Schuldig

Warum bleibt der Friede mir verwehrt?
  Weil Du die Luft verseucht
  mit Deinem Auto, Deinen Sprays
  und schuldig bist am Tod
  von einem Tannenzweig.

Warum bleibt die Liebe mir verwehrt?
  Weil den Boden Du verdorben
  mit Deinem Dünger, Deinem Müll
  und schuldig bist am Tod
  von einem Regenwurm.

Warum bleibt der Himmel mir verwehrt?
  Weil das Wasser Du vergiftet
  mit Deiner Wirtschaft, Deiner Technik
  und schuldig bist am Tod
  von einem Oktopus.

Darum bleiben
  Friede,
  Liebe,
  und der Himmel
Dir verwehrt!

Ankunft – Abschied

Ankunft – Abschied,
und dazwischen
Leben,
voller Glück
und Leid.

Bestimmung,
Gnade,
Zufall,
Schicksal?

Was war davor,
was kommt danach?

Inselleben

Insel, Nichtstun, Straßenkreuzer,
Cocktail, Rhythmus, Liebesseufzer,
Direktoren, Pudel, Baronesse,
Nerze, Busen, Creme Duchesse –
wenn die Hammondorgel schweigt,
vor verschloss'nem Tor ein Bettler geigt.

Insel, Krankheit, Armenkreuzer,
Kälte, Not und Mutterseufzer,
Kinderplärren, Abguß, Bettgenässe,
Hunger, Prügel, halt die Fresse!

Variatio auf der Roseninsel:
Malerpinsel,
Hundsgewinsel,
Goldgeflinsel,
Blutgerinnsel.

COCKTAIL-RHYTHMUS-LIEBESSEUFZER

Wirklichkeit

Was ist Spiel,
was Phantasie,
was Wirklichkeit?
Wie wirklich
ist die Wirklichkeit
im Vergleich
zu den Atomen
und zum leeren Raum?

Ist die Wirklichkeit
abstrakt,
nur Geist,
nicht faßbar
und nicht meßbar?
Sollte eines nur
ein Teil
vom andern sein
und relativ real
nur alle beide?

Wo suchen wir
das Fühlen
und die Treue,
das Vertrauen?

Sind Glaube,
Hoffnung
irreal?

Wo verbirgt
die Liebe sich?

Blasse Sonne

Fragend sucht der Blick
des späten Jahres blasse Sonne –
wird ihre nahe Winterwende
auch für uns die Umkehr bringen –
wird mit jedem neuen Tag
auch unsere Liebe wachsen –
wird sie in das Dunkel leuchten,
uns die Herzen wärmen –
und dem Frieden eine Bleibe sichern?

Neue Arche

Wo ist ein Noah,
den die Angst der Menschen rührt,
daß er mit starken Armen
eine neue Arche baut –
zur Rettung letzter Liebender?

NACHTKUSS-LIPPEN-ERWARTUNG

DAS ANDERE UFER

Intoleranz

Altersschwach
zittert die Zukunft
vor den Gittern
des Unverstands;
an den Mauern
der Intoleranz
stürzt die Hoffnung
zu Tode.

Einsamkeit

Frosterstarrte Seele
ragt als Eisbergspitze
aus dem Meer der Einsamkeit.

Verödete Gefühle
glitzern zaghaft –
wie Kristalle.

Das Herz
lauscht zögernd
seinem Schlag.

Morgen

Trauer
rankt wie Efeu
um das welke Sein;
Glaube
deckt als Feigenblatt
die wunde Seele,
die zitternd
in das Morgen
greift.

Das Ich

Wenn mich das Fühlen drängt,
mein Wollen nach anderem sucht,
wenn mich das Denken beengt,
geht das Ich in die Flucht.

Wenn mir der Glaube fehlt
und ich die Hoffnung verloren –
bin ich von Liebe beseelt,
wird das Ich neu geboren.

Allein

Allein
agiert das Ich –
in Hitzeflirren, Eiseskälte,
unter grellen Blitzen
und in schwarzer Nacht,
schwankend
auf der Bühne
der Bewährung –
himmelfern
der Regisseur und Autor.

IN HITZEFLIRREN-EISESKÄLTE

Das fremde Ich

Ich stehe einsam wie ein dürrer Baum
an Tagen, wenn der Regen fällt;
ich stehe wartend, atme kaum
und völlig fremd ist mir die Welt.

Ich fühle nicht den kühlen Wind
und spüre nicht das Naß auf meiner Haut –
mein Ich steht außerhalb und sinnt
und sieht das andere Ich, das sich erbaut.

Ich stehe einsam und verwundert da,
wenn auf mein Herz der Regen fällt:
ein Ich steht ganz dem andern nah –
und dennoch fremd und tief gequält.

Gevatter

Wir alle haben ihn geschaut
und manchmal ihm vertraut,
ihn oft gevatterlich gegrüßt
und haben nicht dafür gebüßt.

Mannigfach ist die Gestalt,
genau wie die Methode –
einmal nackteste Gewalt,
dann mit feierlicher Ode.

Es wundert niemand sich,
der ihm im Krieg begegnet;
auf Straßen, wenn es regnet,
ist er gewiß nicht zimperlich.

Ob auf der steilen Stiege,
ob nach fettem Schweinebraten,
er feiert immer seine Siege –
nur sind sie selten zu erraten.

Auch in geliebten Armen
fehlt manchmal das Erbarmen;
er ist ein ständiger Begleiter,
ob ernst wir oder heiter.

Ein Schritt

Schmerz klingt ab,
Konturen schwinden,
Geräusch verebbt,
Dämmerung sinkt.

Ein Schritt nur –
NICHTS

Mildes Licht
erhellt das Dunkel

Sanfte Klänge
zaubern sphärische Musik

Enge weicht
in unbeschränkte Weite

Vergangenheit
wird Gegenwart und Zukunft

Ein Schritt nur –
ALLES

Friede, Liebe, Seligkeit.

Das andere Ufer

Ans andere Ufer
möchtest Du entrinnen –

Du hörst den Rufer,
siehst den Kahn,
der erste Schritt
ist leicht getan.

Feuchter Nebel
bläht die Segel –

Doch auf den Planken
zeichnen die Gedanken
Dir ein neues Bild –

Von Gnad' erfüllt
führt Dich Sein Blick
zum Licht zurück –

Der Liebe Macht
vertreibt die Nacht,
der Nebel steigt,
der Rufer schweigt –

Das andere Ufer
willst Du nicht gewinnen.

Grauer Bogen

Grauer Bogen spannt sich
von Gedanken,
die aus dumpfen Nebels
müden Flanken
scharfe Pfeile
auf das arme Herz hinzielen –
und im stillen
weint die Treue
ohne Hoffen, ohne Reue
an dem Rand des Lebens.

Eine Weile –
und die Liebe quillt
und hüllt
das wunde Herz
und reicht es sonnenwärts,
wo erdenfern
der Blick des Herrn
als mildes Licht
den grauen Bogen bricht.

Grauer Bogen von Gedanken

Ferner Ruf

Es war, als hört' ich Seinen Ruf
aus galaxisweiter, dunkler Ferne,
wie einst, als Er die Erde schuf
und die Sonne und die Sterne.

Sind unsere Herzen Ihm zu kalt,
daß Er sich andere schafft –
in jungen Welten Leben ballt
und neue Liebe, neue Kraft?

So mögen denn die Felsen singen
von Gottes ewigem Gebot
und Luft und Wasser mögen klingen,
wenn schon die Herzen tot.

Allmächtiger, laß uns nicht allein,
schenk jeden neuen Tag
nur einen Tropfen uns vom Sein,
als ewigen Wellenschlag.

Herr, ziehe Deine Hand nicht ab
von Deiner guten Erde,
sieh gnädig noch einmal herab,
daß wieder Friede werde.

Alter

Erinnerung
sinkt
in den
sanften Schoß
des Vergessens

In fleckigen Händen
ruht
der goldene
Apfel
Vergangenheit

Schwer
lastet
das Leid
im Kelch
der Erwartung

Stille
fällt
wie Tau
in die Schale
des Alters

KLOTHOS FADEN

Das neue Jahr

Das Jahr ist um,
versunken ist der Käfig
der Vergangenheit,
alle Poren öffne ich
dem Heute
und schenke alle Sinne
nur der Zukunft.

Komm, neues Jahr,
laß dich umarmen,
drück jeden Tag mich
an dein hoffend Herz;
zeig mir ein Ziel,
das ich mit ganzer Kraft
und voller Eifer
mir erstreben will!

Klothos Faden

Von blinden Würfeln auserkoren
schwebt das nackte Ich
an Klothos dünnem Faden
stumm und zielverloren
durch das Dunkel
in das Nichts.

Festgefroren
in dem Dorngestrüpp
der Wirklichkeit
flieht es neugeboren
auf der Spur der Hoffnung
in den Traum des Lichts.

Klotho: Griechische Schicksalsgöttin, die den Lebensfaden spinnt.

Lockungen

Ich schließ' die Tore meiner Seele
vor den Lockungen des Fortschritts
und übergebe mich dem Denken,
das den Lärm der Massen
rasch ins Nichts versinken läßt.

So finde ich
die lichterfüllte Stille,
die mir erlaubt zu lesen
in dem Buch des Lebens.

Rasch im Nichts versinken

Zufall oder Plan

Ausweglos und unerbittlich
sind Pflanzen, Tier und Mensch
im Naturgesetz verstrickt:
In unerträglicher Gemeinsamkeit
von Fressen und Gefressen werden.

Zufall oder Plan –
wer soll ihn revidieren,
wer kann dem Erdball
seine Traurigkeit entreißen?

Aber gibt es uns nicht Hoffnung,
daß wir denken, fühlen, wollen,
daß Böses immer gegen Böses kämpft?

Und daß es Einen gibt, der lehrt,
daß Friedensstifter selig sind?

Durch Ihn wird's auch im Dunkel hell,
mit Ihm kann jeder tragen seine Last;
für Ihn kann man auch die
Feinde lieben.

So ist es doch ein Plan,
ein Plan der Güte,
nach dem ER jedem Menschen
Seine Hand entgegenstreckt.

Und wenn wir sie ergreifen
sieht alles anders aus:
Wir ertragen das Naturgesetz,
und die Traurigkeit der Erde
wird frohem Frieden weichen.

Obwohl

Wie der Winter ab und zu
auch in den Sommer lauscht,
obwohl der Frühling beide trennt,
so könnte auch der Mensch
des Waldes Raunen hören –
und auf seine Klagen achten.

Wie der Sommer manchmal
mit dem Winter spricht,
obwohl der Herbst sie trennt,
so könnte auch der Mensch
sich mit dem Sperling unterhalten –
und auf seine Klagen achten.

Bergpredigt

Selig sind alle,
die in der Liebe leben
und keine Gewalt anwenden;

denn das Halleluja der Ungeborenen
wird den Rauhreif der Herzen
zu Freudentränen schmelzen;

und der Jubelschrei der Erlösten
wird den Kriegslärm übertönen
und die Mauern des Hasses zerbrechen;

und die Hymne des ewigen Friedens
wird mit samtenen Klängen
den Flor tiefer Trauer verwehen;

und die Fanfaren aller Gerechten
werden das bittere Leid der Verfolgten
zum Triumph der Auferstehung führen;

und das Lied der Barmherzigkeit
wird das Dornengestrüpp der Not
in Bäume der Hoffnung verwandeln;

und des Allmächtigen Liebe
wird die Stunden der Armut
mit ewiger Seligkeit krönen.

Im Anfang

Geschrieben steht: „Im Anfang war das Wort."
Wie soll der Mensch nun dieses deuten?
Vor jedem Wort steht klar der Sinn –
könnt' es nicht Wissenschaft bedeuten?
In jedem Falle wär' es ein Beginn.

Doch hiemit ist's wohl nicht geschafft –
im Anfang war vielleicht die Kraft,
oder – um das Wort zu wechseln –
begann doch alles mit der Tat?
Um keinesfalls die Fakten zu verwechseln,
reicht dazu des Menschengeistes Rat?

Geschrieben steht: „Im Anfang war das Wort",
und ohne des Verstandes Licht zu schmähn,
zur Deutung will die Gnad' ich mir erflehn.

Die Tat, die Kraft, der Sinn
sind sicherlich ein recht Gewinn;
doch Ihn zu ahnen, Ihn verstehn
kann doch im Herzen nur geschehn
und dieses spricht – was ewig bliebe –
im Anfang war die Liebe!

In principio erat amor –
ad finem manet amor!

ZUR DEUTUNG WILL DIE GNOD ICH MIR ERFLEHN

Trost

Wenn die Wunden meiner Seele
sich an sanften Tönen laben,
dann mag es dunkel sein
und voller Nebel.

Wenn es im Herzen gähnend leer –
versinkt es in der Verse Meer,
dann mag es stürmisch sein
und voller Nebel.

Wenn ringsum Feinde droh'n und Frost –
schenkt mir dein Lächeln Trost,
dann mag es friedlos sein
und voller Nebel.

Einssein I

Betrachte ich die Sterne,
bin ich es liebend gerne,
darf es mit Stolz bekennen
und mich *sapiens* nennen;
doch auf unserem Planeten
erzwingt man's mit Raketen;
Einssein hieße wohl auch
schonen Tier und Strauch;
wenn ich an die Umwelt denke,
betrübt mein Haupt ich senke;
was für den Nächsten ich empfinde –
ich bekenne es – ist Sünde;
zum Einssein mit dem All
fehlt mir der ird'sche Widerhall.

Einssein II

Gottes Preis
klingt unisono
durch die Schöpfung:
Sterngefunkel,
Vogelzwitschern,
Wetterleuchten,
Lebenssymphonie.

Nur der Friede
hilft der Menschheit
zu dem Einssein
mit dem All.

Abendstern

Abendstern kommt alle Tage,
stellt niemals eine Frage,
weiß nicht, daß er leuchtet,
tut nur seine Pflicht.

Abendstern steht alle Tage,
führt niemals eine Klage,
fühlt nicht, daß er leuchtet,
spendet nur sein Licht.

Abendstern bleibt alle Tage,
daß niemand mehr verzage,
und dem er schon geleuchtet,
den stört die Wolke nicht.

Träume

Ich streife durch die feuchten Auen
mit munteren Raben als Begleiter,
sehe Biber eifrig ihr Hütte bauen –
ich stör' sie nicht, ich ziehe weiter.

Und führt Selene mich an ferne Orte,
wo das Gestern und das Heute weilen,
da höre ich voll Staunen neue Worte,
die so wirksam meine Seele heilen.

Dann setz' ich mich auf jene Bänke,
wo einst Urania meine Hände hielt –
doch wenn ich an das Morgen denke,
entschwindet rasch das traute Bild.

Und stehe ich auf weißen Marmorstiegen
vor dem Schloß, wo Wasserspiele rauschen,
schlanke Bäume leis im Wind sich wiegen,
muß ich wie traumversunken lauschen:

Es perlen aus den alten Sälen Klänge,
die ich so sanft vernehme und so gerne;
und tönen draußen rauhere Gesänge –
im Inneren leuchten nun die Sterne.

Selene: Griechische Mondgöttin
Urania: Griechische Muse der Sternkunde

TRAUMBILD IN DIE SEELE

BLINDHEIT

Liebe trägt uns

Im Haß zerbrechen die kostbaren Stunden,
Liebe heilt die geschlagenen Wunden.
Liebe läßt uns das Dasein verstehen,
bringt Sinn in das Kommen und Gehen.
Liebe steht am Anfang des Lebens,
mit ihr ist kein Hoffen vergebens.
Liebe reicht uns die gütigen Hände,
Liebe trägt uns zum seligen Ende.

Blindheit

Wenn wir uns fragen,
bist Du die Liebe, HERR,
und wenn wir klagen,
wo ist Deine Güte, HERR,
dann müssen wir bedenken,
daß Du *uns* es überlassen,
ob Güte wir verschenken,
ob wir lieben oder hassen.

Zwar gabst Du uns das Licht,
damit den Weg wir finden,
doch – nützen wir es nicht,
so gleichen wir den Blinden.

Feindesliebe

Als Christ, so steht im Buch geschrieben,
sollte meinen Feind ich lieben –
doch wenn ich es beim Licht betrachte,
ist's ungewiß, ob ich den Nächsten achte.

Erklär' ich mich zum eigenen Feind,
werd' ich von mir selbst beweint –
oder werde ich mich selber hassen –
würde ich als Christ dann passen?

Wie immer ich es wend' und drehe,
es fehlt zum Feinde mir die Nähe;
so bleib' ich denn erbärmlich arm –
o Herr, mach Du das Herz mir warm!

Prestige

Vom freudenvollen Taufgeschmaus
zum blumenschwangeren Endkondukt
rollen wir den roten Teppich aus;
Prestige ist immer groß gedruckt.

Im eisigen Korsett von Macht und Geld,
erfolgsverwöhnt und ohne Rücksicht
zeigen wir dem armen Rest der Welt
stolzerfüllt das lachende Gesicht.

Narren

Ob Fasching oder Fastenzeit
Narren jubeln jederzeit,
zerren sich am wirren Haar
durch das lange bunte Jahr;
tanzen wie im Traum versunken
von Freude oder Leid betrunken;
Tollheit läßt sie niemals aus –
ob Herings- oder Trauerschmaus.

Tele-Vision

Wie die Lemminge ins Wasser
treibt es die Menschen
täglich, nächtlich, immer wieder
willenlos ins Flimmermeer,
worin das Herz erstickt
und der Verstand verrostet.
Danach fällt's leicht,
der leergebrannten Innenwelt
ein neues Seinsbewußtsein vorzugaukeln,
bis der engagierte Televisionär
ohne Selbstkontrolle glaubt,
er sei der Held,
so denkt wie er und fühlt
und endlich auch so handelt.

Lustvoll treibt die Menschheit
ihrem seelischen Infarkt entgegen.

Tele-Manipulation

Aus elektronischen Kanälen
quellen crime and sex,
Sport und action,
sowie Desinformationen.
Millionen huldigen
zerstreuungssüchtig
dem seelischen Verarmungskult.
Zeit und Sprache
geh'n verloren;
immun hingegen
wird der Mensch
gegen tiefere Gefühle.
Mit bunten Farben,
sanften Tönen
oder heißen Rhythmen
lähmt die Medientyrannei
die Urteilskraft,

Erkenntnis und Entscheidung
und das Wollen.
Die Reklame
transplantiert
den geistig Amputierten
neue Wahrheit.
Magier der Illusion
suggerieren
der zerstörten Innenwelt,
je nach styling und Kosmetik,
den Horrortrip des Unterganges
sowie die heile Welt.
Entertainment bis ins Massengrab;
Tele-Manipulation.

Neue Kunst

Phidias
hat seinen Meißel
aus der Hand gelegt
und Michelangelo
begrub die Pläne
stolzer Kuppeln,
Rembrandts
Pinsel ist vertrocknet,
Dante,
Shakespeare,
Goethe
sind verstummt,
Mozart
schloß den Deckel
seines Flügels.

Satt
und sinnverwirrt
bemüh'n wir uns,
die neue Kunst
zu schaffen.

Ohne Liebe,
elektronisch.

Totgeburten?

MICHELANGELO BEGRUB DIE PLÄNE STOLZER KUPPELN

Highlights

Reden
Ehren
Ordensbänder

Feiern
Lachse
Premier cru

Augenpaare

Dome
Lieder
Symphonien

Schlösser
Bilder
Diskussionen

Augensterne

Süden
Strände
Sonnentage

Schiffe
Wogen
Captain's dinner

Augenblicke

Aufforderung

Blaue Augen
stellen strahlend Fragen

Rote Lippen
geben schweigend Antwort

Weiche Hände
künden zärtlich Liebe

Dame

Monsieur, berichten Sie dem Chef de cuisine –
an ihrem Finger glänzte milde der Rubin –
das Sabayon war bon und auch die Sauce
Béarnaise,
zum Abschluß bitte noch Pernod und leichten
Käse.

Vom Halse schimmerten bewegt die Perlen,
ihre Wimpern ragten hoch wie junge Erlen;
das türkisfarbene Kleid aus Crêpe de Chine
schmiegte sich erregt an ihrem Körper hin.

Gestern, passend zur Languste Thermidor,
trug sie einen feingeschliffenen Labrador,
damit harmonierte auch in Laut und Ton
das Thema ihrer klugen Konversation.

Jeden Tag ein anderer Schmuck und andere
Kleidung,
kontrastierend stets die Herren der Begleitung,
je nach Stimmung, Seegang sowie Sonnenschein
spritzig oder eisgekühlt, ganz wie der Wein.

Harmonisch, wie die elfenhaften, schlanken
Beine,
waren Haartracht, Duft und Edelsteine;
am Pool gab sie sich gerne, wie sie ist,
keusch bedeckt von Gold, Saphir und
Amethyst.

Beim Galadinner zeigte sie dezent die
Diamanten
und erzählte munter von den fürstlichen
Verwandten,
alles lauschte ganz verzückt dem schönen Kind;
vivent Champagne brut und Schweinerücken
Jenny Lind!

Der Unterschied

Wie der Schwan im Wasser schluckt den Fisch,
so tut es auch der Mensch, jedoch bei Tisch;
der eine nimmt brutal dazu den Schnabel,
der andere benutzt dezent die Silbergabel;
der Unterschied ist außerdem recht groß:
Der Mensch verschlingt daneben Reis und
Sauce,
der schlanke Schwan schätzt mehr die Vitamine,
der Mensch das elegante Service auf Terrine.
Noch eklatanter aber sind die Differenzen,
versucht man auch das Endergebnis
abzugrenzen:
Dies verliert der Schwan stets mit Elegance –
der Mensch gibt dem Recycling seine Chance.

APHORISMEN

Wir vergessen das Leid
in der Zweisamkeit.

Wenn glühende Lohe im Inneren brennt,
wird bald das Gitter der Zwänge versengt.

Es leuchtet heller uns das Licht,
gibt man der Liebe mehr Gewicht.

Der Mensch ist stolz auf die Erfindungen zum
Töten,
vergißt jedoch, daß ihm der Friede so
vonnöten.

Creatio ex nihilo, der Ast auf dem wir sitzen
ist bald ab; creatio continua, sie mög' ihn
stützen.

Wohlstand treibt seltsame Blüten;
die Unruhe des Herzens ist nicht dabei.

Stille, erstickt im Schrei des Konsums,
gemieden aus Angst, sie könnte zum Denken
verleiten.

Zu den Bildern

Martin Schwarz über sich: „Ich schaffe keine Kunst, sondern Bilder, Zeichen und Überlegungsoberflächen … Ein schnelles Anschauen und Abhaken genügen nicht, um in die Bildoberfläche einzudringen – die längere Auseinandersetzung mit dem Bild setze ich genauso voraus wie die Bereitschaft, Symbole und Elemente nicht als Puzzle einer abstrahierten Wirklichkeit zu verstehen, sondern als eigenständigen Teil für sich.

Den Bildern geht ein langer Schaffensprozeß voraus: durch intensive Bearbeitung der Bildoberfläche, unterbrochen durch längere Arbeitspausen, in denen die Werke auf der Staffelei stehen – bis zu dem Punkt, an dem das Bild selbst zu sprechen beginnt und von mir keiner subjektiv kommentierenden Bildelemente mehr bedarf.

Schon deshalb ist die Beschreibung und Interpretation eines einzelnen Bildes schwierig; keines ist solitär, ein Bild erwächst aus dem anderen. Bevorzugt verwende ich Bildgründe, die schon eine Geschichte haben. So bespanne ich meine Keilrahmen mit alten Bettleintüchern, verwende Packpapier und Karton von Verpackungsmaterial, Holz, welches deutlich Spuren einer Primärverwendung aufweist."

Zu den Autoren

Univ.-Prof. Dr. Dr. h. c. **Ernst Brandl,** geb. 1919 in Schwaz, begann 1946 als Kriegsversehrter das Studium der Chemie und Mikrobiologie an der Universität Innsbruck. Von 1949 bis zu seiner Pensionierung 1983 war Brandl in der Biochemie Kundl tätig, davon viele Jahre als Forschungsdirektor. Daneben Mitarbeiter des Nobelpreisträgers E. B. Chain in Rom, Habilitation an der TH Wien, Vorlesungen in Wien, später in Innsbruck. Brandl ist Mitglied mehrer wissenschaftlicher Organisationen und erhielt eine Reihe von Ehrungen und Auszeichnungen. Im Ruhestand hielt er Vorträge zum Thema Umwelt, gründete eine Stiftung, inskribierte Kunstgeschichte und schreibt Lyrik und Kurzprosa.

Der Maler **Martin Schwarz** ist von Beruf Lehrer. Er „lebt und arbeitet in Schwaz in Tirol, das muß genügen", so sagt er über sich selbst. Er stellt an sein Publikum die Anforderung einer längeren Auseinandersetzung mit seinen Werken: „Ich liebe die klare Linie, die schwarze Fläche – die daraus resultierende Ehrlichkeit. Ich möchte aus meinen Bildern nicht illusionistisch perfekte Wiedergaben einer scheinbaren Wirklichkeit machen."

Im Tyrolia-Verlag erschienen:

Ernst Brandl
VISIONEN – Gedanken zur Umwelt
88 Seiten, Illustrationen von Martin Schwarz

Die Umweltsensibilität ist in den letzten Jahren erfreulich gewachsen, besonders auch bei der Jugend. Trotzdem schwebt der Patient Erde in Lebensgefahr. Die realistische Betrachtungsweise ist im Sinne des Autors der erste Schritt zur Rettung der Natur. Wissenschaft und Ethik müssen ebenso unzertrennliche Zwillinge werden wie Ökologie und Ökonomie. Dr. Brandl, dessen Leben durch die Naturwissenschaften geprägt ist, kennt die ganzen Probleme von innen und tritt seit Jahren in Vorträgen und Artikeln für die gequälte Natur ein; denn im Hinblick auf die kommenden Generationen wird zielführendes Handeln zur Pflicht.